Ah!
le chocolat!

- ses vertus
- des recettes

Tiré du livre *Les voluptés du chocolat*

Données de catalogue avant publication (Canada)
Adler, Anne, 1954–
    Les voluptés du chocolat
    (Collection Alimentation)
    ISBN 2-7640-0351-X
    1. Chocolat. 2. Chocolats. I. Titre. II. Collection.

TX767.C5A34 1999   641.3'374   C99-940964-4

LES ÉDITIONS QUEBECOR
7, chemin Bates
Outremont (Québec)
H2V 1A6
Tél.: (514) 270-1746

©1999, Les Éditions Quebecor
Bibliothèque nationale du Québec
Bibliothèque nationale du Canada
ISBN: 2-7640-0351-X

Éditeur: Jacques Simard
Coordonnatrice de la production: Dianne Rioux
Conception de la page couverture: Bernard Langlois
Photo de la page couverture: Mark Tomalty/Masterfile
Révision: Sylvie Massariol
Correction d'épreuves: Jocelyne Cormier
Infographie: Jean-François Ouimet, JFO Design

*Nous reconnaissons l'aide financière du gouvernement
du Canada par l'entremise du Programme d'Aide au
Développement de l'Industrie de l'Édition pour nos
activités d'édition.*

Gourmandise irrésistible pour le palais, douceur voluptueuse pour les sens, péché mignon pour la dent sucrée occasionnelle et jouissance gustative pour l'accro insatiable, le chocolat laisse rarement indifférent. La seule vue d'une confiserie fine, d'un gâteau onctueusement enveloppé ou d'une pâtisserie finement aromatisée suffit parfois à déclencher une inondation salivaire et à provoquer l'envie pressante de s'en mettre plein la bouche! Un supplice à la limite du supportable pour les malheureux à qui le velours brunâtre est interdit!

Mais pourquoi le chocolat suscite-t-il un désir si vif? Pourquoi y a-t-il tant d'inconditionnels, voire de chocomaniaques? Pourquoi ce goût de «revenez-y» indéfinissable? Pourquoi aime-t-on tant offrir et recevoir du chocolat? Facile et difficile à expliquer en même temps… La saveur, les sensations, la texture et la forme de la présentation sont très certainement des incitateurs de premier ordre.

Mais on peut comprendre encore mieux l'attachement fidèle de notre affection gustative envers le chocolat — et ses dérivés — lorsqu'on sillonne d'abord les us et coutumes alimentaires des hommes, depuis les Mayas en passant par la conquête espagnole jusqu'à aujourd'hui. L'engouement pour le chocolat ne date pas d'hier, et les significations qu'on lui a accolées sont multiples : représentation divine, synonyme de richesse, aphrodisiaque indispensable aux souverains polygames, etc.

Il est aussi permis de trouver divers éléments de réponse à ces questions quand on prend connaissance des différents processus de transformation auxquels on soumet le cacao, matière principale nécessaire à la fabrication du chocolat, et qu'on découvre les mariages possibles avec quantité d'essences et d'aliments tous plus délectables les uns que les autres.

Mais c'est lorsqu'on s'attarde à la composition même du cacao qu'on peut véritablement saisir l'impact de ses effets caractéristiques sur l'organisme humain. De récentes études font d'ailleurs état de constatations fort étonnantes quant aux vertus thérapeutiques — car elles sont indéniables — du chocolat contenant un minimum de 70 % de cacao. Jugé comme étant responsable de plusieurs troubles de santé, à tort dans certains cas, le chocolat noir voit donc sa mauvaise réputation se bonifier. Raison de plus pour les amateurs invétérés de se réjouir… avec modération, s'il vous plaît !

Mais, reconnaissons-le, l'industrie chocolatière ne s'est jamais faite aussi séduisante. Les chocolateries artisanales ont désormais la cote auprès des amoureux du chocolat dont les goûts se raffinent. Le chocolat noir, les truffes, les pralines et les pâtisseries figurent parmi les denrées fines les plus recherchées et les plus appréciées. De fait, on ne se contente plus seulement des friandises chocolatées offertes au dépanneur du coin…

Et que penser des résultats de sondages qui révèlent que plus de la moitié des Nord-Américains préfèrent le chocolat au sexe ? De quoi rester pantois !

Gourmands, gourmets, épicuriens et jouisseurs de la papille, à vos marques, prêts, croquez !

Les vertus médicales du chocolat

Historiquement, les tout premiers produits faits à partir de la poudre de cacao par les Mayas et les Aztèques étaient reconnus et recherchés pour leur impact dynamisant et nourrissant. Les détenteurs du savoir médical de l'époque la prescrivaient pure ou mélangée avec d'autres plantes pour soulager des troubles pulmonaires et certains malaises digestifs associés au foie. Ils savaient aussi que le dépôt graisseux (beurre de cacao) accentuait les vertus hydratantes et cicatrisantes des pommades qu'ils appliquaient sur les blessures épidermiques légères (coupures, gerçures, égratignures) et bonifiait les propriétés des gelées ou des crèmes calmant les morsures d'insectes ou de serpent, les brûlures et même les démangeaisons hémorroïdales…

Les guérisseurs et les sorciers considéraient la poudre de cacao comme étant un puissant aphrodisiaque et conseillaient fortement à leurs souverains de boire allègrement la boisson chocolatée afin que ceux-ci puissent s'adonner sans défaillir, nuit après nuit, à leurs prouesses sexuelles.

Mais il ne faudrait pas croire que les effets aphrodisiaques du chocolat n'étaient convoités que par les rois. Certains récits mentionnent que les autochtones avaient leurs propres méthodes pour mettre du piquant dans leurs joutes amoureuses en s'enduisant les zones érogènes d'une préparation bouillie de cacao. Cette pratique, dit-on, rendait les baisers plus doux et plus cares-sants… les amoureux n'ayant ainsi rien à envier aux acteurs du film *9 semaines 1/2*.

Mais ce n'était pas là la seule utilisation du cacao. Thomas Gage, un chroniqueur qui a été témoin de la conquête espagnole, a relaté dans ses écrits historiques qu'il avait vu des femmes s'enduire le visage avec la matière grasse du cacao et s'en frictionner la peau afin d'avoir un teint lisse. Cette habitude esthétique mettait déjà à l'avant-plan l'efficacité cosmétique du beurre de cacao.

Pour illustrer le genre de composition alimentaire qu'on inventait à cette époque, voici la vieille recette d'un philtre d'amour guatémaltèque qui a su traverser le temps :

Philtre d'amour

- Faire chauffer 2 gousses de vanille dans 1 litre (4 tasses) de lait pendant 10 minutes.
- Retirer les gousses et les presser pour en extraire tout le suc. (Gratter pour conserver les petites graines.)
- Ajouter 30 ml (2 c. à soupe) de cacao pur et délayer le tout dans 250 ml (1 tasse) d'eau tiède.

- Verser le lait chaud graduellement en remuant.
- Ajouter 30 ml (2 c. à soupe) de miel.
- Ajouter 30 ml (2 c. à soupe) de cassonade en poudre.
- Continuer à remuer le tout en ajoutant 3 ml (1/2 c. à thé) de poivre de Cayenne, 1 pincée de sel et un verre de rhum (ou de tequila).

Le philtre peut se boire chaud ou froid.

La réputation d'affriolant sexuel du chocolat n'a pas fait faux bond aux aristocrates de la cour française, qui ont vite intégré la consommation du chocolat dans leurs habitudes les plus nobles. Les deux élues du cœur de Louis XV y avaient recours quotidiennement : madame de Pompadour, qui ne semblait pas très portée sur «la chose», buvait un chocolat bien bronzé pour être en mesure de répondre aux faveurs pressantes de son roi ; quant à madame Du Barry, de vingt ans la cadette du roi, sa nature passionnée faisait en sorte qu'elle gavait presque ses amants de la précieuse boisson pour qu'ils puissent être à la hauteur de ses attentes.

Quelques années plus tard, sous le règne de Louis XVI, la reine Marie-Antoinette se nommait un chocolatier personnel qui lui créait des concoctions apothicaires pour soigner ses problèmes de santé : un chocolat finement parfumé à la poudre d'orchidée comme fortifiant, à la fleur d'oranger comme calmant et au lait d'amandes douces comme digestif.

À cette époque libertine des grands salons parés de velours et de dorure, toutes les recettes possibles et imaginables de chocolat convergeaient pour contenter l'émoustillement des sens et des désirs charnels.
Par exemple, les activités mondaines et parfois subversives du marquis de Sade étaient agrémentées de chocolat à l'intérieur duquel il faisait incorporer des substances déliant les nœuds les plus serrés de la morale…

Dans les pays germaniques, on ne se servait du cacao qu'à des fins médicinales et on ne le vendait que chez l'apothicaire. Ce n'est que pendant le XVIIe siècle que la diffusion du produit fut encouragée : le chocolat avait la réputation de conserver la santé en bon état et d'exercer une influence positive sur la longévité.

Par ailleurs, les affiches publicitaires du Néerlandais Van Houten annonçaient en toutes lettres *«L'aliment prescrit par le médecin»* pour vanter les mérites de son chocolat chaud fait à partir de ses poudres fines.

Écrits officiels... d'ordre médical !

Aux XVIIe et XVIIIe siècles, on appréciait le chocolat pour ses caractéristiques tant alimentaires que curatives.

Après les ouvrages relatant les témoignages des chroniqueurs (Girolamo Benzoni, Thomas Gage) qui ont assisté à l'incursion espagnole en terre américaine et qui ont été les premiers à décrire les techniques de transformation et les façons d'apprêter la poudre de cacao, les écrits sur le chocolat se sont mis à avoir un angle médical. Car bien avant de devenir une substance synonyme de plaisir, le chocolat était considéré comme un aliment sain et nourrissant.

Les religieuses et les moines en consommaient abondamment, la boisson chocolatée les aidant à avoir l'énergie nécessaire pour accomplir leurs tâches quotidiennes malgré les jeûnes auxquels ils devaient s'astreindre régulièrement. La pieuse habitude alimentaire a même lancé tout un débat : le chocolat était-il un aliment brisant le jeûne ou n'était-il qu'une boisson ? En 1569, le pape Pie V décida que, mélangé avec de l'eau, le chocolat ne représentait aucun interdit. Cent ans plus tard, la boisson chocolatée se retrouvait à nouveau au cœur de la même polémique. Les sommités cléricales, encore une fois, concluaient en disant du chocolat qu'il était une boisson nourrissante comme le vin et non un aliment.

C'est d'ailleurs à la demande du cardinal de Lyon, Alphonse Richelieu, qui ne jurait que par le chocolat pour venir à bout des troubles que lui imputait sa rate et pour tempérer ses élans colériques, qu'en 1643, le docteur René Moreau a écrit *Du chocolat.* Cette publication réunissait les différents modes de préparation de la boisson chocolatée ainsi que les propriétés médicinales de celle-ci.

D'autres livres ont suivi dans cette même veine en se concentrant davantage sur les effets du chocolat sur l'organisme comme *Traités nouveaux et curieux du café, du thé et du chocolat,* rédigé en 1671 par Philippe-Sylvestre Dufour. *Le bon usage du thé, du café et du chocolat,* écrit en 1687 par Nicholas de Blegny, est introduit ainsi : *«Pour la préservation et pour la guérison des maladies. Par Monsieur de Blegny, conseiller, médecin & artiste ordinaire du Roy & de monsieur, et préposé par ordre de sa Majesté à la recherche & vérification des nouvelles découvertes de médecine»*

Louis Lemery, dans son *Traité des aliments,* vantait plus précisément les vertus aphrodisiaques. Mais Anthelme Brillat-Savarin a certainement été celui qui a répandu les mérites du chocolat de la façon la plus convaincante et convaincue. Dans *La physiologie du goût,* qu'il a écrit en 1826, il ne se contente pas simplement de faire l'éloge et de disserter sur les capiteuses possibilités du chocolat, il donne également une foule de conseils pour bien l'apprêter. Il lui attribuait des propriétés roboratives (qui redonnent des forces) capables de remettre sur pied l'organisme humain le plus faible et la santé la plus défaillante. Brillat-Savarin a baptisé son chocolat «le chocolat des affligés» ; ce magistrat français fin gastronome aimait savourer le chocolat sous toutes ses formes et souhaitait que tout le monde l'aime autant que lui.

Les principales qualités qu'on reconnaissait au chocolat et qui semblaient faire l'unanimité étaient ses propriétés nourrissantes, digestives, stimulantes, aphrodisiaques, et son effet placebo remarquable pour certains hypocondriaques. Les autres vertus qu'on lui attribuait, même si elles n'étaient pas approuvées par tous les spécialistes, étaient son efficacité contre la mauvaise haleine et pour la clarté de la voix, le rhume, la diarrhée, la dysenterie, le choléra et l'embonpoint (parce qu'il coupait ni plus ni moins l'appétit !).

Chez les apothicaires

Forte de ses origines divines et de son indéfectible renommée à travers les siècles, la graine de cacao est devenue une matière convoitée par les apothicaires du XIXe siècle. Intégrée aux mélanges médicinaux, la poudre brune faisait partie de nombreuses préparations pharmaceutiques dédiées au soulagement ou à la guérison des maux contre lesquels on lui accordait de réels pouvoirs. Elle pouvait aussi servir à camoufler le goût parfois rebutant des autres plantes médicinales.

Avant l'établissement des grandes entreprises chocolatières, les apothicaires broyaient eux-mêmes les fèves de cacao pour fabriquer, évidemment, du chocolat, mais aussi pour les intégrer dans des formules thérapeutiques savamment concoctées. La maison Debauve & Gallais, fondée au tout début du XIXe siècle — et dont la boutique sise à Saint-Germain-des-Prés, à Paris, arbore toujours le décor aménagé en 1819 —, confectionnait des chocolats pharmaceutiques qui sont maintenant passés à l'histoire comme le chocolat tonifiant au salep de Perse (farine extraite du tubercule de certaines orchidées aux propriétés fortifiantes), le chocolat béchique (contre la toux) et pectoral au tapioca des Indes, et le chocolat dynamisant au cachou japonais. Cependant, la célèbre chocolaterie offre toujours ses «pistoles de Marie-Antoinette» à la fleur d'oranger (aux effets calmants) ou au lait d'amandes (pour la digestion).

Pas étonnant non plus que, parmi les grands noms chocolatiers actuels, il se trouve des descendants de pharmaciens respectés. Le Français Émile-Justin Menier était le fils d'un pharmacien qui s'était particulièrement distingué pour la qualité de ses poudres médicinales. Lorsqu'il a pris la suite de l'entreprise familiale, Émile-Justin, qui pratiquait le même métier que son père, a délaissé les préparations pharmaceutiques et s'est davantage intéressé aux possibilités commerciales de la poudre de cacao. C'est ainsi que, malgré son savoir médical, il a bifurqué dans l'univers de la chocolaterie. Menier y a laissé une marque très importante.

Le Belge Jean Neuhaus a suivi un parcours similaire. Petit-fils d'un homme qui tenait une confiserie pharmaceutique, il a poursuivi les activités commerciales familiales en renonçant à la production des bonbons aux vertus thérapeutiques et en donnant davantage de place aux confiseries chocolatées. Lui aussi a joué un rôle capital en inventant l'incomparable praline belge.

Jusqu'au XXe siècle, la population percevait le chocolat comme une substance reconstituante, permettant de refaire le plein d'énergie rapidement et à peu de frais, et un aliment aidant à digérer lorsqu'il était siroté après un repas.

Friandise responsable de mille maux!

Mais voilà que vers le milieu du XXᵉ siècle, le chocolat s'est vu reléguer au rang des aliments à proscrire. En effet, les masses de sucre raffiné, le remplacement du beurre de cacao par des huiles végétales à teneur élevée en gras saturé et les nombreuses composantes chimiques rajoutées par les fabricants dans le chocolat même ou dans les garnitures l'ont rendu, à certains égards, carrément nocif pour la santé.

C'est de cette manière que le chocolat a été accusé de torts comme l'acné et d'autres problèmes d'épiderme, la constipation, les migraines, les crises de foie, la carie dentaire et l'embonpoint ; le sucre contenu dans les friandises chocolatées est toutefois le principal responsable. (Très souvent, si une personne est aux prises avec l'un de ces maux à cause d'un désordre alimentaire, le chocolat est rarement le seul et unique responsable ; la quantité, la façon dont on le consomme ainsi que le contexte général des habitudes de nutrition de la personne importent pour beaucoup.)

Retour aux sources

La fin du XXe siècle fait émerger une volonté de ramener les choses à un niveau plus équitable. En effet, les études effectuées au cours de la dernière décennie tendent à rétablir la situation en redonnant à César ce qui appartient à César et en faisant les distinctions qui s'imposent. Le chocolat a suffisamment souffert des préjugés et de la mauvaise presse, il doit reprendre ses lettres de noblesse… car il en a : loin d'être nuisible pour la santé, le cacao contient des vertus bénéfiques pour l'organisme.

Peut-être doit-on ce revirement de situation à la percée du chocolat noir sur les marchés actuels et au ras-le-bol des restrictions alimentaires prescrites dans les sempiternels régimes amaigrissants.

Valeur nutritive du chocolat

De prime abord, le chocolat fait partie des aliments ayant des caractéristiques nutritionnelles valables en diététique. Une analyse détaillée de la composition d'une tablette de chocolat aide à y voir plus clair.

Une tablette de chocolat noir de 10 g comptant 70 % de cacao comprend :

- 525 calories
- 40 g de lipides (beurre de cacao)
- 36 g de glucides
  (dont 30 g de sucre)
- 14 g de fibres
- 9 g de protéines
- 1 g de sels minéraux, d'oligoéléments (dont 600 mg de potassium, 280 mg de phosphore, 200 mg de magnésium, du fer, du sodium, du cuivre et du fluor) et de vitamines (dont les vitamines A_1, B_1, B_2, D et E)

Une tablette de chocolat noir contient aussi des substances dites pharmacodynamiques parce qu'elles influent à

la manière des médicaments. Ce sont
la caféine, la théobromine, la phényléthylamine et la sérotonine.

La caféine, on le sait, augmente la
résistance à la fatigue, favorise l'activité
intellectuelle et accroît la vigilance;
la théobromine agit comme un stimulant
sur le système nerveux central, facilite le
travail musculaire, active le cœur et excite
l'appétit. La phényléthylamine, elle, amplifie
l'impact des endorphines produites par le
cerveau et amène une stimulation
psychologique, voire euphorisante; enfin,
la sérotonine aide à rétablir la perte de
sérotine, associée à la dépression, et
a un effet antidépresseur.

Quant à la composition d'une tablette de
chocolat au lait, la principale différence
réside dans l'apport supplémentaire en
calcium (qui se situe aux alentours de
200 mg par tablette de 100 g) en raison
de la présence du lait et de la plus faible
quantité en cacao (qui, ne l'oublions pas,
est l'élément le plus profitable du point
de vue de la santé).

Le chocolat blanc, lui, est composé de matières grasses (beurre de cacao) et de près de 60 % de sucre (60 g par tablette de 100 g). Aucune trace de pâte de cacao ! À cause de sa pauvreté nutritive, il peu difficilement être considéré comme un aliment diététique.

Les vertus au quotidien

Le chocolat noir de bonne qualité (ayant un minimum de 60 % de cacao) peut être considéré comme un aliment nutritif et non dommageable pour la santé, à condition, bien sûr, qu'on n'en ingurgite pas exagérément! Grignoter un ou deux carrés soit après un des repas de la journée, soit au moment de la collation représente une consommation raisonnable permettant de rassasier le goût de sucré et de profiter des bienfaits tout en évitant de prendre du poids — car les 525 calories par 100 g sont loin d'être virtuelles!

À part la saveur caractéristique du chocolat noir et sa texture satisfaisante en bouche, il existe plusieurs raisons pour lesquelles on peut se laisser tenter…

Tonifiant

Le tableau de la répartition nutritionnelle fait rapidement comprendre la nature roborative (qui redonne de l'énergie) du chocolat à haute teneur en cacao (donc à plus faible teneur en sucre), cette substance nourrissante, fortifiante et stimulante. Les proportions appréciables de glucides et d'acides gras permettent de remplir les besoins caloriques pendant que la caféine et la théobromine produisent une stimulation des systèmes nerveux et cardiovasculaire. On saisit mieux pourquoi le chocolat a été la denrée de prédilection de toutes les guerres, que ce soit pour aider Napoléon 1er à rester éveillé sur les champs de bataille, pour nourrir Napoléon III dans ses moments de conquête ou pour revigorer les soldats des deux grands conflits mondiaux du XXe siècle. On saisit aussi pourquoi le chocolat est inlassablement associé à tous genres d'activités nécessitant un déploiement d'énergie physique important, et que les athlètes en ont souvent une certaine quantité sur eux.

Attention toutefois aux chocolats renfermant de fortes doses de sucre : ils provoquent l'effet contraire. Une importante concentration de ce genre de glucides provoque un coup de pompe incroyable! En effet, une avalanche de sucre concentré oblige le pancréas à sécréter beaucoup d'insuline pour parvenir à le stocker dans le foie. Résultat : la surcharge de travail effectué par le pancréas occasionne une fatigue plus grande que celle que l'on éprouvait avant d'avoir avalé la friandise.

Stimulant intellectuel

C'est à la présence conjointe de sels minéraux, assurant la régénération sur le plan de l'activité intellectuelle, et de la caféine que Balzac a adopté le chocolat, auquel il doit fort probablement quelques lignes inspirées. Plusieurs de ses contempo-rains (comme Goethe) s'en remettaient, eux aussi, à la consommation de chocolat chaud et velouté pour pouvoir profiter de la verve d'esprit nocturne.

Aphrodisiaque

En ce qui concerne les propriétés aphrodisiaques, plusieurs s'entendent à dire que l'attisement des ardeurs sexuelles des Aztèques était davantage imputable aux épices qu'ils ajoutaient à leur boisson chocolatée. D'autres expliquent plutôt la provenance d'énergie passionnelle dans les capacités roboratives du chocolat plus que dans l'émergence d'un sentiment d'excitation comme tel.

Anticholestérolémique

Cette caractéristique risque d'en faire sursauter plus d'un ! Eh oui ! le chocolat noir, qui est spécialement riche en cacao, abaisse le taux de cholestérol général en agissant sur le bon cholestérol. Il y parvient par l'intermédiaire de ses molécules lipidiques (beurre de cacao), qui créent une augmentation des HDL (lipides à haute densité, constituants du «bon» cholestérol; il aide l'organisme à lutter contre les dépôts de matières grasses sur les parois des artères.

Mais là ne s'arrête pas la surprise. Le chocolat noir contient aussi des polyphénols, ceux-là mêmes que l'on retrouve dans le vin rouge, qui constituent un agent protecteur pour les vaisseaux sanguins et qui réduisent les facteurs de risque des maladies cardiovasculaires. Bien entendu, ne comptez pas sur des effets semblables avec le chocolat au lait !

Ajoutons toutefois, en terminant, que ces affirmations ne font pas l'unanimité dans le milieu médical. Des scientifiques affirment que le beurre de cacao est un gras saturé, donc néfaste pour le cholestérol, et que ce sont les phénols, et eux seuls, qui interviennent grâce à leur pouvoir antioxydant pour empêcher la formation de dépôts de cholestérol sur les artères et aident à diminuer les risques de maladies cardiaques. De futures études viendront certainement d'ici peu éclairer nos lanternes en apportant des précisions sur le sujet.

Antidépresseur

Un des effets les plus agréables lorsqu'on mange du chocolat est la sensation de bien-être qu'il procure. Le chocolat possède en fait plus de trois cents agents chimiques connus, et des chercheurs s'y sont attardés pour examiner les rôles de ces derniers pris isolément ou en interaction.

De récentes études menées, en 1996, à l'Institut des neurosciences de San Diego, en Californie, ont permis à trois chercheurs d'établir un lien entre le chocolat et la marijuana. Les scientifiques auraient découvert la présence de particules dérivées du cannabis dans la poudre de cacao : les cannabinoïdes. C'est ce qui expliquerait non seulement l'origine du sentiment de bien-être et d'apaisement chez la personne qui mange du chocolat, mais aussi le désir insatiable de ceux qui ne peuvent résister et qui se disent «chocooliques». Mais, au fait, le chocolat est-il une drogue ?

Lors de l'ingestion du chocolat, une molécule produite par le cerveau, l'anandamide, s'apparentant au THC (le tétrahydrocannabinol, substance responsable de l'effet relié au cannabis), est captée par les récepteurs de cannabinoïdes. D'autres composantes permettraient d'en prolonger l'action au moment de la captation par les récepteurs, ce qui justifierait la durée relativement longue de l'effet de contentement que procure le chocolat. L'anandamide (l'étymologie du mot nous apprend qu'il veut dire «béatitude») intervient au niveau de l'humeur, de la douleur et de l'appétit, mais il ne s'agit pas d'un *high* équivalent à celui que l'on obtient après avoir fumé un joint de marijuana. À titre comparatif, on estime que pour ressentir un emportement similaire, un individu de 70 kilos (154 livres) devrait se taper quelque 15 kilos (33 livres) de chocolat !

Les personnes qui ont tendance à être dépressives ne devraient quand même pas se fier aux seules propriétés antidépressives contenues dans le chocolat noir pour se libérer de leurs angoisses. Il semble que la quantité de phényléthylamine soit nettement insuffisante pour dégager un sentiment d'euphorie qui permettrait de se libérer des tracas que causent les problèmes d'envergure. Cependant, un léger vague à l'âme passager peut y trouver une douceur réconfortante et le petit coup de fouet opportun pour secouer les élans léthargiques.

Malgré la démonstration sérieuse des effets physiologiques du chocolat, on peut difficilement affirmer, sur le plan scientifique, que le chocolat est une drogue ! Et ce, quoi qu'en pensent les accros, éternelles victimes de leurs incontrôlables tentations.

Anti-âge

D'après une étude réalisée par des scientifiques du département d'épidémiologie de l'Université de Harvard — et dont les résultats ont été publiés dans le très sérieux *British Medical Journal* —, le chocolat contribue d'une façon certaine à allonger l'espérance de vie.

Les scientifiques ont suivi pendant près de cinq ans 7 841 hommes âgés entre 60 et 72 ans, tous exempts de cancer ou de maladies cardiaques. Plus de 4 500 d'entre eux absorbaient du chocolat et des friandises sur une base régulière, tandis que 3 300 autres n'en mangeaient presque jamais.

Pendant toute la durée de l'étude (entre 1988 et 1993), 514 participants sont décédés, répartis ainsi : 267 parmi les 4 500 grands consommateurs de chocolat et de friandises (soit 5,9 % de ceux-ci) et 247 parmi les 3 300 non-consommateurs (soit 7,5 % de ceux-ci).

En tenant compte des habitudes de vie des participants, comme le tabagisme, les scientifiques estiment que les amateurs de chocolat et autres friandises vivent en moyenne une année de plus que les autres.

Comment explique-t-on ce phénomène plutôt surprenant ? Il semble bien que la présence des phénols dans le chocolat en soit la principale responsable. (Les phénols, rappelons-le, sont des antioxydants comparables à ceux que l'on trouve dans le vin rouge). Ces antioxydants, dont l'action protectrice du système immunitaire et les effets neutralisateurs du développement des maladies coronariennes sont maintenant très bien connus, se trouvent en quantité significative dans le chocolat : il y a autant de phénols dans une verre de vin rouge que dans quarante grammes de chocolat !

Les constatations de l'enquête révèlent qu'une consommation de chocolat propice au prolongement de la durée de vie correspond à une quantité se situant entre une à trois tablettes par mois. Il y a possibilité de faire accroître les risques de décès lorsque l'absorption dépasse cette limite, mais les consommateurs restent encore au-dessus de l'espérance de vie des personnes qui s'en privent complètement.

Pourquoi donc éliminer le chocolat de notre régime alimentaire ? On a la preuve que, consommé modérément, il prolonge notre passage terrestre et tous les plaisirs qui s'ensuivent !

Remettre les pendules à l'heure !

Longtemps soupçonné de provoquer, entre autres, des migraines, de l'acné, de l'hyperactivité infantile, des troubles hépatiques et de la constipation, le chocolat souffre encore de ces fausses croyances. Des études sérieuses et approfondies ont d'ailleurs permis de réfuter ces idées préconçues.

Chocolat et foie

Il a été démontré scientifiquement, en administrant des doses substantielles de chocolat à des gens enclins aux hépatites, que celui-ci n'avait aucun impact sur le foie. Les propagateurs de l'idée que le chocolat provoque des «crises de foie» devront désormais ravaler leurs paroles.

Chocolat et caries

Chez les bons consommateurs de friandises chocolatées, le sucre est davantage la cause numéro un de l'apparition des caries. Le chocolat en lui-même ne représente pas un grand danger, car il renferme trois anti-cariogènes : les tanins, le fluor et les phosphates. D'autres indications portent à croire qu'en enduisant les dents, le beurre de cacao les protège contre la formation de plaque. Cependant, le gros bon sens est encore de rigueur. Une mauvaise hygiène buccale combinée à de trop fréquentes ingestions de chocolat (même de chocolat noir) finissent par ouvrir la voie aux caries.

Chocolat et acné

Deux études américaines, l'une réalisée à l'École de médecine de Pennsylvanie et l'autre à l'Académie navale des États-Unis, ont prouvé que le chocolat n'était pas un agent favorisant le développement ou l'aggravation de l'acné. Que les participants aient mangé ou non du chocolat, aucun changement évocateur n'a été observé chez ceux qui étaient concernés par des problèmes d'acné. Selon d'autres recherches, l'acné ne serait carrément pas reliée aux habitudes alimentaires.

Sur le plan nutritionnel, certaines denrées consommées à outrance dans plusieurs foyers auraient intérêt à être remplacées. Les boissons gazeuses font partie de cette catégorie : bourrées de sucre et de colorants, dépourvues de valeur nutritive réelle, additionnées de gaz causant gonflements et aéro-phagie, elles sont pourtant bues en quantités industrielles dès le plus jeune âge. Des diététistes conseillent d'ailleurs de les troquer contre des boissons chocolatées au lait. Malgré qu'elles soient sucrées, celles-ci contiennent les mêmes valeurs nutritives que le lait et constitueront toujours un choix plus judicieux que les liquides gazéifiés de composition chimique.

Chocolat et embonpoint

Le proverbe «la vertu se trouve dans le juste milieu» n'a jamais été aussi approprié ! Une consommation excessive amène forcément une prise de poids surtout si le produit est de moindre qualité et que le sucre apparaît en tête de liste des ingrédients mentionnés sur l'emballage. Mais, encore une fois, les deux croquées de chocolat noir à forte concentration de cacao à la fin du repas ne font pas devenir obèse, mais si vous vous tapez une tablette de 100 g, ne croyez pas que parce qu'il s'agit de chocolat noir, vous n'avez rien à craindre : les quelque cinq cents calories ingurgitées doivent bien se loger quelque part…

Michel Montignac, devenu célèbre dans le paysage de la nutrition grâce à sa méthode de d'amaigrissement basée sur l'évitement de l'hyper-insulinisme et des aliments à index glycémique élevé, réintègre le chocolat noir à 70 % de cacao dans son plan diététique.

Chocolat sans sucre ?

Le chocolat dit allégé ou diététique représente une solution acceptable pour les diabétiques, car l'absence de sucre en fait une friandise qui n'a que peu d'incidence sur le taux de glycémie et requiert peu d'insuline pour être assimilé. Toutefois, le chocolat sans sucre ne devrait pas constituer une porte de sortie pour les chocophiles à la taille flexible et à la volonté défaillante.

La tendance à croire que sa teneur réduite en glucides le rend moins calorifique est une fausse conception, car on doit remplacer le sucre par autre chose ! Effectivement, les chocolatiers utilisent des polyols, ou sucres alcools, fabriqués à partir de substances recelant des glucides. Dans le cas du chocolat, on les confectionne avec du malt.

Pour une même quantité de sucre, les polyols fournissent une charge énergétique moindre et ont un goût sucré beaucoup moins prononcé, ce qui oblige les fabricants à les employer en plus grande quantité. Au bout du compte, on regagne pratiquement toutes les calories que l'on voulait éviter en éliminant le sucre de la recette. Sans compter que, parfois, certains chocolatiers choisissent de compenser le manque de saveur en ajoutant des matières grasses... et nous revoilà donc à la case départ quant au nombre de calories !

De plus, le chocolat diététique ne contient quasiment pas de valeur nutritive, et son goût peut en décevoir plus d'un. C'est une gâterie qu'il faut consommer occasionnellement et avec parcimonie ; lorsqu'une personne diabétique se permet d'en manger, elle doit nécessairement effectuer une substitution avec un ou deux autres aliments qu'elle prévoyait inclure dans son menu de la journée.

Mais le dernier point, et non le moindre, à considérer est le fait que l'ingestion trop régulière de polyols peut amener

une kyrielle de problèmes, notamment
sur les plans gastrique et intestinal.
Une consommation de vingt à cinquante
grammes de polyols par jour — certaines
personnes ayant plus de difficulté à
absorber les polyols ne peuvent
excéder une prise de dix grammes
par jour — suffit à déclencher des
symptômes de ballonnements,
de diarrhée, de flatulences, etc.

Bref, le chocolat sans sucre ou
diététique peut satisfaire les envies
chocolatées sporadiques d'une classe
de gens dont les choix alimentaires
sont malheureusement restreints,
mais il ne constitue certainement
pas une solution de remplacement
journalière pour les caractères gloutons.

Des recettes tentantes

Les desserts au chocolat — du gâteau de notre grand-mère à la pâtisserie raffinée du chef réputé — sont autant de tentations qui satisfont les envies de chocolat au gré des humeurs et des occasions. Pour votre plus grand plaisir, nous l'espérons, voici quelques recettes chocolatées qui sauront vous rassasier et vous combler, et ce, aussi bien pour vos repas les plus simples que pour ceux où vous aimeriez vous démarquer.

Biscuits aux grains de chocolat

DONNE ENVIRON 4 DOUZAINES

- 85 ml (1/3 de tasse) de beurre ramolli
- 125 ml (1/2 tasse) de sucre
- 65 ml (1/4 de tasse) de cassonade tassée
- 1 œuf
- 5 ml (1 c. à thé) de vanille
- 250 ml (1 tasse) de farine
- 3 ml (1/2 c. à thé) de bicarbonate de sodium
- 3 ml (1/2 c. à thé) de sel
- 250 ml (1 tasse) de grains de chocolat mi-sucré

❯ Battre le beurre, le sucre et la cassonade. Ajouter l'œuf et la vanille.

❯ Incorporer la farine, le bicarbonate de sodium et le sel. Finalement, verser les grains de chocolat. Bien mélanger.

❯ À l'aide d'une cuillère à thé, disposer la pâte sur des tôles à biscuits non graissées à 5 cm (2 po) de distance. Cuire à 190 °C (375 °F) pendant 8 à 10 minutes.

Barres à l'autrichienne

DONNE ENTRE 35 ET 40 PETITES BARRES

- 185 ml (3/4 de tasse) de beurre
- 3 carrés de chocolat non sucré
- 250 ml (1 tasse) de sucre
- 3 œufs
- 250 ml (1 tasse) de farine
- 5 ml (1 c. à thé) de vanille
- 185 ml (3/4 de tasse) de confiture aux abricots (ou au choix)
- 2 carrés de chocolat à cuisiner mi-amer

PÂTE À GÂTEAU

> Au bain-marie, faire fondre le chocolat et le beurre. Retirer du feu pour y incorporer le sucre. Laisser tiédir.

> Ajouter les œufs, un à un, et prendre le temps de bien mélanger entre chacun. Ensuite, ajouter la farine et la vanille.

> Verser dans un moule rectangulaire (environ 25 x 30 cm [10 x 15 po] graissé et recouvert de papier ciré.

> Mettre au four à 165 °C (325 °F) entre 15 et 20 minutes. Attention de ne pas trop cuire. Laisser refroidir dans le moule une dizaine de minutes avant de démouler et de faire refroidir

complètement sur une grille.

> Découper le gâteau dans le sens de la longueur pour fabriquer deux étages.

GARNITURE

> Faire chauffer doucement la confiture aux abricots (ou celle de votre choix) et la passer au tamis (de manière à enlever les morceaux durs) avant de l'étendre sur la pâte à gâteau. Recouvrir avec l'autre moitié de gâteau.

GLAÇAGE

> Faire fondre partiellement le chocolat au bain-marie. Le retirer du feu pour terminer en remuant. Recouvrir le gâteau avec le chocolat fondu.

> Découper en barres et conserver au réfrigérateur dans un contenant hermétique.

Bouchées de chocolat «a-rhum-atisées»

- 140 g (5 oz) de chocolat noir
- 165 ml (2/3 de tasse) de beurre
- 250 ml (1 tasse) de farine
- 250 ml (1 tasse) de cassonade
- 5 ml (1 c. à thé) de poudre à pâte
- 2 gros œufs
- 30 ml (2 c. à soupe) de rhum

> Beurrer un moule carré recouvert ensuite d'un papier sulfurisé et beurré à son tour.

> Faire fondre le chocolat et le beurre au bain-marie, doucement. Mettre de côté.

> Mélanger la farine et la poudre à pâte.

> Fouetter les œufs et ajouter la cassonade graduellement. Y ajouter le mélange de chocolat refroidi et le rhum tout en continuant de remuer.

> Incorporer la farine.

> Mettre dans le moule et faire cuire pendant environ 30 minutes dans un four préchauffé à 175 °C (350 °F)

> Laisser refroidir une dizaine de minutes, puis démouler la pâte cuite et la laisser reposer sur une grille.

> En guise de glaçage, il suffit de faire fondre encore 140 g (5 oz) de chocolat noir au bain-marie pour recouvrir le gâteau.

> Mettre au froid et découper en petites bouchées lorsque le tout est bien figé.

Boules au chocolat Rachel

- 750 ml (3 tasses) de gruau
- 375 ml (1 1/2 tasse) de sucre
- 250 ml (1 tasse) de noix de coco
- 125 ml (1/2 tasse) de beurre
- 45 ml (3 c. à soupe) de cacao en poudre
- 3 ml (1/2 c. à thé) de vanille
- 125 ml (1/2 tasse) de lait

> Mélanger tous les ingrédients secs.

> Ajouter le beurre au mélange.

> Ajouter le lait et la vanille.

> Lorsque la pâte est uniformément humidifiée, façonner des boules (d'une grosseur raisonnable pour constituer une bouchée) en roulant la pâte dans le creux des paumes des mains.

> Déposer dans un plat hermétique et conserver dans un endroit frais.

Brownies

- 170 g (6 oz) de chocolat noir
- 85 ml (1/3 de tasse) de beurre
- 2 œufs
- 85 ml (1/3 de tasse) de sucre
- 125 ml (1/2 tasse) de farine
- 3 ml (1/2 c. à thé) de poudre à pâte
- 1 pincée de sel
- 85 ml (1/3 de tasse) de noix hachées

> Préchauffer le four à 175 °C (350 °F).

> Faire fondre le chocolat doucement au bain-marie. Y ajouter le beurre.

> Mélanger les œufs et le sucre, et verser le chocolat et le beurre fondus.

> Incorporer la farine, la poudre à pâte et le sel, et bien mélanger.

> Ajouter les noix.

> Graisser et enfariner un moule carré de 23 cm (9 po). Verser la pâte chocolatée et mettre au four pendant 30 à 35 minutes.

> Démouler pendant que le gâteau est tiède et découper.

24 carrés au chocolat

- 375 ml (1 1/2 tasse) de farine
- 83 ml (1/3 de tasse) de sucre
- 125 ml + 30 ml (1/2 tasse + 2 c. à soupe) de beurre
- 75 ml (5 c. à soupe) de sirop de maïs
- 140 g (5 oz) de chocolat noir
- 3 œufs
- 125 ml (1/2 tasse) de pacanes (facultatif)

> Graisser un moule carré de 23 cm (9 po) et recouvrir d'un papier sulfurisé et légèrement beurré.

> Mélanger la farine et le sucre (et les pacanes si désiré).

> Dans un plat, faire fondre le beurre, le sirop et le chocolat en agitant. Retirer du feu et ajouter les œufs en fouettant.

> Verser ce mélange dans les ingrédients secs en brassant soigneusement avec une cuillère de bois.

> Mettre dans le moule et cuire pendant 25 minutes dans un four préchauffé à 175 °C (350 °F).

> Laisser tiédir pendant une dizaine de minutes avant de démouler sur une grille et de laisser refroidir complètement.

GLAÇAGE
- 140 g (5 oz) de chocolat noir
- 75 ml (5 c. à soupe) de crème fraîche
- 24 noix

> Faire fondre le chocolat avec la crème à feu doux en brassant sans arrêt.

> Enlever du feu et faire tiédir avant d'étendre sur le gâteau.

> Couper en 24 portions carrées et garnir avec une noix.

Coupes chocolat fromagé

- 285 g (10 oz) de chocolat noir mi-amer
- 90 ml (6 c. à soupe) d'eau
- Zeste râpé de 2 citrons
- 400 g (14 oz) de fromage à la crème bien mou
- 30 ml (2 c. à soupe) de cognac (facultatif)

> Faire fondre doucement le chocolat au bain-marie. Ajouter l'eau.

> Retirer et remuer pour que le chocolat soit bien lisse.

> Laisser refroidir environ 15 minutes.

> Incorporer le fromage, le zeste de citron (et l'alcool si désiré) au chocolat.

> Verser dans 8 coupes et décorer d'amandes effilées ou d'une feuille de menthe fraîche.

Crème pâtissière au chocolat

- 140 g (5 oz) de chocolat mi-amer
- 625 ml (2 1/2 tasses) de lait
- 3 ml (1/2 c. à thé) de vanille
- 6 jaunes d'œufs
- 165 ml (2/3 de tasse) de sucre
- 165 ml (2/3 de tasse) de farine
- 45 ml (3 c. à soupe) de beurre ramolli

> Faire fondre le chocolat à feu doux au bain-marie (le fond du bol ne doit pas toucher l'eau) et sans remuer. Mettre de côté.

> Verser le lait et la vanille dans une casserole dont le fond est passablement épais. Amener à ébullition et retirer du feu.

> Battre les jaunes d'œufs et le sucre. Ajouter la farine graduellement et mélanger à la cuillère.

> Incorporer la moitié du lait chaud et remuer rapidement.

> Remettre le restant du lait à feu doux et y transvider le mélange.

> Cuire pendant 5 à 7 minutes, ou le temps qu'il faut pour que le mélange

devienne épais, et remuer constamment avec un fouet.

> Une fois la crème à point, retirer du feu et verser le chocolat fondu (toujours brasser avec le fouet), puis le beurre.

> Mettre la crème pâtissière dans un bol et la recouvrir directement de papier ciré. Laisser refroidir à la température de la pièce.

> Réfrigérer pour conservation.

Friandises chocolatées aux Corn Flakes

- 170 g (6 oz) de chocolat mi-amer
- 1/2 barre de paraffine
- 250 ml (1 tasse) de beurre d'arachide
- 250 ml (1 tasse) de sucre glace
- 1 250 ml (5 tasses) de Corn Flakes

> Faire fondre doucement le chocolat, la paraffine et le beurre d'arachide. Incorporer le sucre glace graduellement. Lorsque tous les ingrédients sont bien fondus, ajouter les céréales et mélanger pour bien les recouvrir. Confectionner les bouchées à l'aide d'une cuillère à soupe et les déposer sur une plaque.

> Mettre à refroidir au réfrigérateur.

Galettes de riz au chocolat

- 500 ml (2 tasses) de capuchons
  de chocolat mi-sucré
- 675 ml (2 1/2 tasses) de Rice Krispies
- 675 ml (2 1/2 tasses) de guimauves
  miniatures

> Faire fondre le chocolat à feu doux et remuer jusqu'à ce que la consistance soit bien lisse.

> Retirer du feu et ajouter les guimauves et les céréales. Mélanger de manière que tout soit complètement enrobé par le chocolat fondu.

> Déposer le mélange sur un papier ciré et fabriquer un rouleau d'environ 50 cm (20 po) de longueur. Enserrer la pâte dans le papier ciré et mettre au réfrigérateur pendant au moins 1 heure, le temps qu'elle soit bien ferme.

> Faire des tranches de 2 cm (3/4 de po).

Gâteau au chocolat à faible teneur cholestérolémique

- 375 ml (1 1/2 tasse) de farine
- 375 ml (1 1/2 tasse) de sucre
- 45 ml (3 c. à soupe) de cacao en poudre
- 5 ml (1 c. à thé) de bicarbonate de sodium
- 1 ml (1/4 de c. à thé) de sel
- 85 ml (1/3 de tasse) de margarine fondue
- 15 ml (1 c. à soupe) de vinaigre
- 5 ml (1 c. à thé) de vanille
- 250 ml (1 tasse) d'eau froide

> Mélanger les ingrédients secs.

> Mélanger les ingrédients liquides, incluant la margarine fondue.

> Verser le mélange liquide dans les ingrédients secs et brasser au batteur à main. Mettre dans un moule graissé et enfariné.

> Cuire au four à 175 °C (350 °F) pendant 30 minutes.

Gâteau au chocolat de grand-maman

- 125 ml (1/2 tasse) de cacao
- 5 ml (1 c. à thé) de bicarbonate de sodium
- 125 ml (1/2 tasse) d'eau froide
- 185 ml (3/4 de tasse) de beurre
- 5 ml (1 c. à thé) de vanille
- 375 ml (1 1/2 tasse) de sucre
- 2 œufs
- 625 ml (2 1/2 tasses) de farine
- 5 ml (1 c. à thé) de poudre à pâte
- 5 ml (1 c. à thé) de sel
- 185 ml (3/4 tasse) de lait (ou de lait sur)

> Préchauffer le four à 175 °C (350 °F)

> Détremper le cacao et le bicarbonate de sodium dans l'eau froide jusqu'à consistance lisse.

> Battre en crème le beurre et le sucre, et ajouter la vanille. Battre les œufs et les incorporer.

> Tamiser la farine, la poudre à pâte et le sel. Ajouter au premier mélange en alternant avec le lait. Ajouter le cacao.

> Mélanger tout ensemble.

> Verser dans deux moules graissés et recouverts de papier ciré.

> Mettre au four pendant 35 minutes.

> Démouler et laisser refroidir complètement avant d'appliquer le glaçage (si désiré).

GLAÇAGE AU CHOCOLAT
- 60 ml (4 c. à soupe) de beurre
- 60 ml (4 c. à soupe) de crème
- 60 ml (4 c. à soupe) de cacao en poudre
- 1 pincée de sel
- 1 œuf
- 5 ml (1 c. à thé) de vanille
- Sucre glace

> Mélanger tous les ingrédients et ajouter la quantité de sucre glace nécessaire de façon graduelle pour obtenir un crémage onctueux et facile à étendre.

Mousse au chocolat

- **200 g (7 oz)** de chocolat noir
- **185 ml (3/4 de tasse)** de crème fraîche
- **65 ml (1/4 de tasse)** de beurre
- **5 œufs**
- **1 pincée** de sel
- **30 ml (2 c. à soupe)** de sucre

> Briser le chocolat en morceaux et mettre de côté.

> Faire chauffer la crème jusqu'à ébullition, la verser sur le chocolat, et remuer pour aider celui-ci à fondre et à se délayer dans la crème. Ajouter le beurre et bien mélanger à nouveau.

> Séparer les jaunes d'œufs et les ajouter un à un dans le mélange en brassant bien entre chacun.

> Laisser reposer à la température ambiante.

> Prendre les blancs d'œufs, y jeter la pincée de sel et les battre pour les faire monter en neige. Ajouter le sucre graduellement en fouettant.

> Ensuite, incorporer le tiers de la neige en la faisant bien pénétrer dans le mélange au chocolat. Ajouter les deux autres tiers à tour de rôle en remuant le tout très soigneusement pour éviter que tout s'affaisse.

> Déposer dans 6 coupes à dessert et faire refroidir au réfrigérateur pendant une dizaine d'heures avant de servir.

> Garnir de chocolat râpé si désiré.

Noireaux à la menthe

- 335 ml (1 1/3 de tasse) de farine
- 5 ml (1 c. à thé) de poudre à pâte
- 3 ml (1/2 c. à thé) de sel
- 250 ml (1 tasse) de beurre
- 250 ml (1 tasse) de cacao en poudre
- 500 ml (2 tasses) de sucre
- 4 œufs
- 5 ml (1 c. à thé) de vanille
- 5 ml (1 c. à thé) d'essence de menthe
- 250 ml (1 tasse) de noix

> Mélanger la farine, la poudre à pâte et le sel. Mettre de côté.

> Faire fondre le beurre dans une grande casserole et retirer du feu. Ajouter le cacao en remuant.

> Incorporer le sucre, les œufs, la vanille et l'essence de menthe.

> Ajouter les ingrédients secs et les noix.

> Verser le tout dans un moule rectangulaire (environ 23 x 33 x 5 cm [9 x 13 x 2 po], préalablement graissé et saupoudré de cacao.

> Faire cuire à 175 °C (350 °F) pendant 30 à 35 minutes.

> Laisser refroidir et glacer.

GLAÇAGE

> Mettre en crème 65 ml (1/4 de tasse) de beurre.

> Ajouter graduellement 500 ml (2 tasses) de sucre glace en alternant avec 30 ml (2 c. à soupe) de lait.

> Bien mélanger. Ajouter de l'essence de menthe au goût.

Pain aux bananes chocolaté

- 250 ml (1 tasse) de farine
- 5 ml (1 c. à thé) de poudre à pâte
- 1 pincée de sel
- 60 ml (4 c. à soupe) de cacao en poudre
- 125 ml (1/2 tasse) de sucre
- 1 œuf
- 85 ml (1/3 de tasse) d'eau tiède
- 5 ml (1 c. à thé) de vanille
- 1 banane bien mûre écrasée

> Beurrer un moule à pain.

> Mélanger la farine, la poudre à pâte, le sel, le cacao en poudre et le sucre.

> Mélanger l'œuf, l'eau, la vanille et la banane écrasée.

> Verser le mélange de bananes dans les ingrédients secs en deux ou trois fois pour obtenir une pâte homogène.

> Verser dans le moule et cuire dans un four préchauffé à 175 °C (350 °F) pendant 30 minutes.

> Laisser refroidir environ 10 minutes avant de démouler sur une grille et de laisser reposer.

GLAÇAGE (FACULTATIF)

- 65 ml (1/4 de tasse) de fromage à la crème
- 65 ml (1/4 de tasse) de sucre glace
- 15 ml (1 c. à soupe) de cacao en poudre

> Ajouter un peu de lait tiède jusqu'à ce que la consistance désirée soit atteinte.

> Au batteur à main, mélanger le fromage et le sucre glace uniformément. Verser le lait et le cacao en poudre.

> Recouvrir le gâteau lorsque celui-ci est refroidi complètement.

Pattes d'ours

- 4 carrés de chocolat mi-sucré
- 60 ml (4 c. à soupe) de beurre
- 250 ml (1 tasse) de sucre glace
- 1 œuf battu
- 1 sac de guimauves miniatures
- 125 ml (1/2 tasse) de noix hachées
- Noix de coco si désiré

> Faire fondre le chocolat et le beurre au bain-marie.

> Mélanger le sucre glace avec l'œuf battu au préalable, puis les guimauves et les noix.

> Ajouter le chocolat et le beurre fondus.

> Déposer sur un papier d'aluminium (saupoudrer de noix de coco si désiré) et façonner des rouleaux. Laisser refroidir au réfrigérateur et couper en tranches.

SAUCE DE GARNITURE AU CHOCOLAT

- **250 ml (9 oz) de chocolat noir**
- **185 ml (3/4 de tasse) de crème fraîche**

> Concasser le chocolat et le déposer dans un plat.

> Amener la crème à ébullition et la verser sur le chocolat.

> Bien remuer jusqu'à ce que le chocolat soit fondu.

> Ajuster la consistance avec quelques gouttes d'eau tiède à la fois.

Cette sauce peut apprêter les coupes de crème glacée, décorer les profiteroles et se prêter aux fondues au chocolat. Elle peut être servie chaude ou froide.

Sucre à la crème chocolaté

- 30 ml (2 c. à soupe) de beurre
- 165 ml (2/3 de tasse) de lait évaporé
- 415 ml (1 2/3 de tasse) de sucre
- 3 ml (1/2 c. à thé) de sel
- 500 ml (2 tasses) de guimauves miniatures
- 375 ml (1 1/2 tasse) de capuchons de chocolat mi-sucré
- 5 ml (1 c. à thé) de vanille
- 125 ml (1/2 tasse) de noix hachées

> Mélanger le beurre, le lait, le sucre et le sel. Faire chauffer à feu moyen et amener à ébullition.

> Laisser mijoter pendant 5 minutes tout en remuant. Retirer du feu.

> Incorporer les guimauves, le chocolat, la vanille et les noix.

> Brasser jusqu'à ce que les guimauves soient fondues.

> Verser dans un moule et laisser refroidir. Couper en petites bouchées et conserver dans un contenant hermétique dans un endroit frais.

Tarte gourmande au chocolat

- Abaisse de tarte
- 85 ml (1/3 de tasse) de crème fraîche
- 3 ml (1/2 c. à thé) d'extrait de vanille
- 250 g (9 oz) de chocolat concassé
- 2 jaunes d'œufs
- 30 ml (2 c. à soupe) de beurre ramolli

> Préparer une abaisse dans un moule à tarte, la piquer sur toute la grandeur avec une fourchette en la faisant bien adhérer et précuire pour qu'elle soit bien dorée.

> Porter la crème à ébullition, ajouter la vanille. Dès les premiers bouillonnements, retirer du feu et verser sur le chocolat préalablement concassé. Bien mélanger jusqu'à ce que le chocolat soit complètement fondu. Incorporer les jaunes d'œufs et le beurre, et bien remuer à nouveau pour que le mélange soit homogène.

> Verser la préparation dans la pâte à tarte déjà cuite. Laisser refroidir.

Truffes fantaisistes

DONNE 24 TRUFFES

- 85 ml (1/3 de tasse) de crème à fouetter
- 30 ml (2 c. à soupe) de beurre
- 30 ml (2 c. à soupe) de sucre
- 1 ml (1/4 c. à thé) de vanille
- 170 g (6 oz) de chocolat noir contenant au moins 60 % de cacao
- 185 ml (3/4 de tasse) de garniture extérieure : gaufrettes au chocolat émiettées, noix de coco, petits grains décoratifs chocolatés ou multicolores, noix émiettées, etc.

> Mélanger la crème, le beurre et le sucre. À feu doux, amener à ébullition ; retirer du feu.

> Ajouter la vanille et le chocolat. Brasser jusqu'à ce que le chocolat soit fondu.

> Réfrigérer la préparation jusqu'à ce qu'elle soit assez ferme pour être manipulée (au moins 4 heures).

> Façonner des boules et rouler dans la garniture désirée. Conserver dans un contenant hermétique dans un endroit frais.

Si vous désirez faire des truffes enrobées de chocolat, vous n'avez qu'à faire fondre à nouveau 170 g (6 oz) de chocolat noir au bain-marie. Placer le chocolat fondu au dessus d'une casserole d'eau tiède (pour qu'il ne fige pas). Procéder au trempage des truffes refroidies dans ce chocolat et déposer les truffes sur une plaque recouverte de papier ciré. Réfrigérer pour faire raffermir le chocolat de couverture.

Si vous préférez la recette originale, vous n'avez tout simplement qu'à rouler vos boulettes dans de la poudre de cacao.

Barres de chocolat maison

DONNE 30 BARRES

- 165 ml (2/3 de tasse) de beurre fondu
- 300 g (1 1/3 de tasse) de biscuits au chocolat réduits en miettes
- 185 ml (3/4 de tasse) de lait concentré
- 125 ml + 30 ml (1/2 tasse + 2 c. à soupe) de beurre
- 225 g (8 oz) de chocolat noir
- 85 ml (1/3 de tasse) d'amandes concassées
- 85 ml (1/3 de tasse) de noix de Grenoble concassées
- 85 ml (1/3 de tasse) de noisettes concassées
- 85 ml (1/3 de tasse) de noix de cajou

> Beurrer un moule rectangulaire mesurant environ 30 x 20 cm (12 x 8 po).

> Incorporer le beurre fondu dans la chapelure de biscuits et déposer dans le moule. Tasser doucement et mettre au réfrigérateur.

> Pendant ce temps, mettre dans une casserole le lait concentré, le beurre et le chocolat, et les faire chauffer à feu doux jusqu'à ce qu'ils forment une substance lisse.

> Verser les noix et mélanger uniformément. Recouvrir la pate réfrigérée et remettre au froid.

Conseils et notions pratiques

Parce qu'une seule goutte d'eau ou la plus petite inflexion de chaleur à la hausse peut suffire à faire durcir le chocolat ou à former des grumeaux, le bain-marie constitue la façon la plus sûre de faire fondre le chocolat. Cette technique consiste à mettre le chocolat dans un petit plat que l'on dépose ensuite dans une casserole où l'eau est frémissante et non bouillante.

◆

Il est possible de faire fondre le chocolat au micro-ondes, mais il faut être vigilant et surveiller l'opération pour éviter que le chocolat cuise parce que le tout se déroule en quelques secondes seulement. Il est conseillé d'utiliser un contenant en verre.

◆

Si vous êtes maniaque de décoration culinaire, les feuilles d'arbres ou de plantes peuvent servir de moules de fabrication à vos ornementations pâtissières. Il suffit de laver et d'assécher les feuilles (il est très important que les plantes soient non toxiques). Prendre la feuille par la tige et la recouvrir de chocolat fondu à l'aide d'un petit pinceau. La déposer sur un plateau recouvert de papier ciré ou sulfurisé. Une fois que toutes les feuilles sont peintes, on n'a qu'à mettre le plateau au réfrigérateur. Lorsque le chocolat semble bien figé, il suffit de décoller la couche chocolatée délicatement.

◆

Le chocolat à cuire peut être remplacé par le chocolat noir amer contenant au moins 50 % de cacao. Cette haute teneur en cacao rehausse davantage le goût de la recette concoctée.

◆

Si une recette requiert du chocolat râpé, on peut mettre un carré de chocolat au réfrigérateur pendant une

trentaine de minutes avant de
le râper, il sera ainsi plus facile à
manipuler.

Pour que vos gâteaux au chocolat
perdent de leur saveur, il est
préférable de les conserver à
la température de la pièce et de les
recouvrir simplement d'une feuille
de papier d'aluminium.

◆

Il faut savoir que les qualificatifs
apparaissant sur les emballages
comme «fin», «extra-fin», «supérieur»
ou «surfin», veulent tous dirent que
le malaxage des ingrédients à été
suffisamment long pour donner une
texture onctueuse et douce.

◆

Selon la provenance du chocolat,
la présence du cacao est exprimée
différemment sur l'étiquette :
les produits allemands et suisses
parlent de «masse de cacao», les

produits canadiens mentionnent des expressions comme «liqueur de cacao» et «pâte de cacao»,et les produits français le décrivent comme «pâte de cacao».

◆

La mention «friandise» sur l'emballage du produit chocolaté nous informe que la quantité de cacao est nettement insuffisante pour qu'il porte l'appellation «chocolat». Et attention ! Au Canada, la seule source de gras végétal permise dans le chocolat est le beurre de cacao. Alors, si l'ingrédient «huile végétale hydrogénée» apparaît dans la liste des composantes, il s'agit d'un produit de qualité discutable.

Au Canada, les normes sont les suivantes :

• Un chocolat ne peut contenir de graisses végétales autres que le beurre de cacao et dans une proportion qui ne doit pas dépasser 5 % ;

• Un chocolat noir doit contenir au moins 35 % de pâte de cacao ;

• Un chocolat noir ne peut comporter plus de 5 % de solides du lait ;

• Un chocolat au lait doit contenir au mois 25 % de solides de cacao ;

• Un chocolat au lait doit renfermer au moins 12 % de solides du lait ;

• Le chocolat blanc doit être composé d'au moins 20 % de beurre de cacao et d'au moins 14 % de solides du lait.

• Sur le continent nord-américain, les fabricants ne sont pas obligés d'inscrire la teneur de cacao dans le chocolat sur l'emballage. C'est pourquoi les expressions «friandises» et «friandises chocolatée», et la liste des ingrédients constituent de bons indices pour l'amateur aguerri.

- La lécithine (lécithine de soja dans la plupart des cas) fait partie de la liste des ingrédients que l'on trouve dans le chocolat. Il s'agit d'un émulsifiant qui sert d'agent de liaison entre les différentes composantes du chocolat.

- Le prix élevé d'un chocolat n'est pas une garantie de sa bonne qualité : les plus chers ne sont pas nécessairement les meilleurs !

◆

Table des matières